D0865639

Petite histoire au royaume de Coucounoir

Données de catalogage avant publication (Canada)

Fraser. Raphaëlle

Coucounoir
Pour les jeunes

ISBN : 2-89558-007-3

I. Titre

PS8561.R354C68 2001   jC843'.6   C00-942156-4
PS9561.R354C68 2001   PZ23.F72Co 2001

© 2001 Les Éditions Alexandre Stanké inc.
Infographie : Kiaï Studio
Illustrations : André Pijet
Illustration emblème Coucounoir : Raphaëlle Fraser

Dépôt légal : deuxième trimestre 2001

Participation *SODEC*

IMPRIMÉ AU QUÉBEC (CANADA)

Les Éditions Alexandre Stanké inc.
5400, rue Louis-Badaillac
Carignan (Québec)
J3L 4A7   CANADA
Tél. : (514) 761-1666 Fax : (514) 761-2408
C5400@aol.com

Raphaëlle Fraser

Illustrations de André Pijet

Petite histoire au royaume de Coucounoir

Alexandre Stanké

Il y a cent ans, au royaume de Coucounoir, vivaient deux princes-ses. L'une, très laide et l'autre, d'une beauté incroyable mais d'une telle méchanceté que personne ne voulait l'approcher.

On appelait le royaume « Coucounoir » parce qu'un jour, un coucou, noir comme l'ébène, avait annoncé à la reine que le temps serait désormais toujours gris ou noir, tant que ses filles ne trouveraient pas pour l'une, la beauté, et pour l'autre, un cœur tendre.

Cette situation rendait la reine si triste, qu'elle pleurait tout le temps. Jour et nuit, elle cherchait le secret pour donner la beauté à l'aînée et un cœur à la cadette.

Mais c'était peine perdue, si bien que, désespérée, elle tomba gravement malade et dut garder le lit. L'aînée, Mélinda, vint à son chevet et lui confia son intention :

- Je pars à l'instant même à la recherche du secret de la beauté du corps et du cœur.

Mélinda, qui était habile cavalière, partit à cheval et ne s'arrêta qu'à la nuit tombée. Jamais elle n'était sortie de Coucounoir auparavant. Se retrouver ainsi en territoire inconnu lui faisait très peur et un courant de frayeur envahit tout son corps ; mais elle se ressaisit et, déterminée, continua sa route.

Les yeux grand ouverts, elle cherchait le moindre indice qui puisse la guider dans sa recherche mais elle ne voyait toujours rien de particulier. À la tombée du jour, alors que le soleil enflammait l'horizon, elle décida de s'arrêter dans un verger.

Elle s'étendit dans l'herbe tendre, sous un cerisier, et à sa grande surprise, elle vit que les cerises étaient des rubis.

Fatiguée, elle essaya de s'endormir mais, dans son inconscient, quelque chose captait son attention. Une petite fée, si minuscule qu'elle pouvait tenir dans le creux de la main, n'arrêtait pas de lui répéter :

- Je connais le secret ! Je connais le secret !

Puis, elle ajouta :

- Presse une poignée de cerises pour en extraire le jus et je te dirai le secret... le secret... le secret.

Mais comment faire sortir du jus des cerises quand elles sont en pierre ?

Finalement, elle s'endormit et rêva à un petit lutin. Ce lutin, lui, ne dormait pas du tout ; au contraire il sautait, grimpait, s'accrochait à une branche et, en déséquilibre, risquait à chaque instant de tomber.

Tout cela fit sursauter Mélinda et attira son attention si bien que, voulant aider le petit lutin à gravir le plus majestueux des cerisiers, elle le prit dans ses bras et le déposa sur la plus haute branche, là où les cerises étaient les plus grosses.

À son réveil, la princesse regarda autour d'elle et aperçu le petit lutin en train de pleurer. Il pleurait très fort sa peine et sa misère :

- Je suis tombé de l'arbre et je ne peux plus me nourrir. Donne-moi trois cerises !

Elle en cueillit trois et les lui donna.
Même en rubis, il les avala glouton-
nement.

- Tu est gentille, dit-il à Mélinda.
Repose-toi sous mon arbre.

Il s'éloigna un moment et quand il
revint, il lui remit un petit flacon de

jus couleur cerise, parfumé comme
un élixir. Elle le remercia avec ten-
dresse et, tenant précieusement le
petit flacon, elle reprit sa route avec
la ferme intention de retrouver la
petite fée. Elle trouva celle-ci
endormie, là où elle l'avait laissée.

Sur un petit écriteau, il y avait un message : « Gare à vous, si vous me réveillez ! ».

La princesse s'assit donc dans l'herbe et attendit le réveil de la fée.

Quand elle se réveilla, elle se mit à marmonner :

- Donne-moi à boire, princesse.

Mélinda prit le flacon et le donna à
la petite fée qui sembla en boire tout
le contenu. Lui redonnant le flacon
elle lui dit :

- Il en reste deux gorgées. Je connais l'histoire de ta famille sur laquelle un mauvais sort a été jeté. J'ai le pouvoir d'intervenir. Bois une gorgée et tu deviendras belle comme le jour. L'autre gorgée est pour ta sœur qui, elle, deviendra douce comme de la soie et tendre comme un agneau.

Et Mélinda but l'élixir.

En route pour Coucounoir, elle sentit s'effectuer des transformations dans tout son être. Miraculeusement, ses cheveux, auparavant secs et sans éclat, devinrent noirs et brillants ; sa bouche, trop banale, devint rose comme une fleur ; ses petits yeux bruns se transformèrent en de grands yeux vert pomme rehaussés de longs cils noirs ; sa peau boutonneuse devint douce et blanche ; son corps ingrat, comme sorti d'un cocon, devint gracieux comme celui d'une statue grecque.

Elle se sentait si belle et si bien dans cette peau toute neuve qu'après s'être admirée un court instant, elle enfourcha son cheval et partit au galop. Pleine d'espoir, elle serrait le flacon contre son cœur comme un trésor inestimable. À son arrivée à Coucounoir, vers midi, la moitié du ciel était noire et l'autre d'un bleu d'azur.

Maintenant, il ne lui restait plus qu'à faire boire à Annabelle, sa sœur, la deuxième gorgée restée au fond du flacon. La famille retrouverait ainsi l'harmonie, et le domaine de Coucounoir, ses beaux ciels bleus et la joie de vivre. Car depuis que le soleil ne brillait plus, les oiseaux avaient cessé de chanter et la végétation s'était desséchée.

Confiante, Mélinda gravit les cent marches du château qui mènent à la tour et remit à Annabelle le jus de cerises lui demandant de le boire.

Celle-ci refusa, prétextant que ce n'était pas du jus de cerises mais du poison. Regardant sa sœur de la tête aux pieds, elle lui fit même ce reproche :

- Comment oses-tu te présenter plus belle et plus ravissante que moi ?

Décontenancée, la princesse Mélinda se retira. Mais, tout à coup, une idée de génie lui vint.

Elle ferait boire le jus de cerises à sa sœur pendant son sommeil, sans qu'elle ne s'en aperçoive.

Vers minuit, quand tout le château fut endormi, Mélinda se glissa silencieusement dans la chambre d'Annabelle. Mais il y avait un problème : comment faire boire quelqu'un qui dort ?

Mélinda trouva vite la solution. Elle versa la dernière gorgée d'élixir dans le verre d'eau d'Annabelle. Puis, comme si de rien n'était, sur la pointe des pieds, elle retourna se coucher.

Le lendemain, le ciel tout entier était d'un beau bleu d'azur. La princesse Annabelle - qui avait bu comme de coutume son verre d'eau au matin - était d'une extrême gentillesse avec tout le monde. La reine qui était presque agonisante se rétablit en quelques jours et décida d'organiser une grande fête au château.

Elle invita tous les princes des royaumes avoisinants qui se disputèrent ce jour-là le privilège d'avoir la main de si jolies et si gentilles princesses. Parmi eux, Mélinda et Annabelle choisirent pour époux deux chevaliers vaillants mais au cœur tendre.

Et depuis ce jour, à Coucounoir, le ciel n'est noir que la nuit.

Imprimé au Canada